Desiertos

© Edilupa ediciones, S.L., 2007

Primera Edición: 2007
ISBN: 978-84-96609-03-7
Título original: *Deserts*
Edición original: © Kingfisher Publications Plc
Maquetación: TXT Servicios editoriales – Avelino González González

Agradecimientos

La editorial quisiera agradecer a aquellos que permitieron la reproducción de las imágenes. Se han tomado todos los cuidados para contactar con los propietarios de los derechos de las mismas. Sin embargo, si hubiese habido una omisión o fallo la editorial se disculpa de antemano y se compromete, si es informada, a hacer las correcciones pertinentes en una siguiente edición.

Cover: Alamy/Lenscapp; page 1: Getty Imagebank; 2–3 Corbis/Firefly Productions; 4–5 Corbis/Gavriel Jecan; 6–7 Getty Taxi; 8*t* Panoramic Images/Warren Marr; 8*b* Corbis/Dean Conger; 9*t* Corbis/Michael & Patricia Fogden; 9*b* Corbis/Owen Franken; 10–11 Still Pictures/Frans Lemmens; 11*t* Corbis/Peter Johnson; 11*b* Corbis/Peter Johnson; 12–13 Corbis/Peter Lillie; Gallo Images; 12*t* Panoramic Images/Warren Marr; 12*b* Science Photo Library/David Scharf; 14–15 Getty Taxi; 14*b* Getty Imagebank; 15*tr* Corbis/Dewitt Jones; 15*br* Corbis/Martin Harvey; Gallo Images; 16–17 Getty National Geographic; 16*cr* Getty Imagebank; 16*b* NHPA/Darryl Balfour; 17*cl* NHPA/Martin Harvey; 17*r* Corbis; 18–19 Ardea/John Cancalosi; 18 Ardea/Pat Morris; 19 Minden Pictures ; 20–21 Corbis; 20*cl* Minden Pictures; 20*b* Frank Lane Picture Agency; 21*tr* Michael & Patricia Fogden; 21*br* NHPA/Daniel Heuclin; 22–23 Getty Imagebank; 22*cr* Corbis/Martin Harvey; Gallo Images; 23*tr* Ardea/Ken Lucas; 24–25 Getty Photographer's Choice; 25*tr* Corbis/Hans Georg Roth; 26–27 Still Pictures; 27*tr* Corbis/Richard Powers; 28–29 Still Pictures; 29*tr* Corbis/Derek Trask; 30–31 Still Pictures; 30*b* Corbis/Janet Jarman; 31*tr* Science Photo Library/Peter Ryan; 32–33 Corbis/KM Westermann; 32*bl* Getty Imagebank; 33*br* Getty Imagebank; 34–35 Getty Stone; 34*cl* Corbis; 35*t* Corbis/Carl & Ann Purcell; 35*c* Corbis/Paul A Souders; 36–37 Corbis/Sergio Pitamitz; 36*b* Getty Stone; 37*br* Corbis/Hughes Martin; 38–39 Science Photo Library/Martin Bond; 38*b* British Museum; 39*t* Getty National Geographic; 39*b* Corbis/James L Amos; 40–41 Alamy/Steve Bloom; 41*t* Getty National Geographic; 48 Corbis/ Nigel J Dennis; Gallo Images

Gráficos por encargo de la página 7 Encompass Graphics.
Fotografía por encargo de las páginas 42-47 por Andy Crawford.
Coordinadora de sesión fotográfica: Miranda Kennedy
Agradecimiento a los modelos Lewis Manu y Rebecca Roper

Desiertos

Nicola Davies

Contenido

¿Qué es un desierto?

Los desiertos son zonas donde casi nunca llueve, por eso son los lugares más secos de la tierra y en los que es más difícil sobrevivir .

sobrevivir – *permanecer vivo*

En todo el mundo

Una cuarta parte de la Tierra está cubierta por desiertos.

En los desiertos hay animales y plantas que han encontrado maneras de sobrevivir a las duras condiciones climáticas.

ÁRTICO

AMÉRICA DEL NORTE

Desierto de Turkestán

ASIA

EUROPA

Desierto de Gobi

Desierto de América del Norte

OCÉANO ATLÁNTICO

Desierto del Sahara

ÁFRICA

Desierto de Thar

OCÉANO PACÍFICO

Desierto de Irán

Desierto de Arabia

Desierto de Atacama

Desierto de Namibia

OCÉANO ÍNDICO

AUSTRALIA

AMÉRICA DEL SUR

Desierto de Patagonia

Desierto de Kalahari

Desierto de Australia

ANTÁRTICO

Desiertos cálidos   Desiertos costeros   Desiertos fríos

condiciones – *estado de las cosas que nos rodean*

Son diferentes

No todos los desiertos son calurosos y de arena. Pueden ser pedregosos, fríos, rocosos o montañosos. ¡Cada desierto es único!

El caluroso Mojave

El Mojave, en América del Norte, fue una vez el fondo de un lago. Hoy es una enorme planicie cubierta de barro, agrietada y llena de pedruscos.

El Gobi

En el desierto de Gobi, en Mongolia, el viento siempre sopla en la misma dirección. Esto forma dunas de arena y las extiende hacia delante.

planicie – *superficie plana*

El Sahara

Estas rocas se encuentran en las montañas del Sahara. Son tan altas que en invierno están cubiertas de escarcha.

Desierto costero

Junto al desierto de Namibia está el mar, por lo que la niebla lleva agua a las dunas más altas del mundo.

niebla – nube muy baja, hecha de diminutas gotas de agua

10 Clima salvaje

El clima de los desiertos es extremo: son casi siempre soleados y calurosos durante el día, pero por la noche cambian las cosas...

Noches frías

Sin nubes que guarden el calor diurno, las noches en el desierto son muy frías. Para calentarse es necesario encender fuego.

clima extremo – mucho calor o mucho fri

Días abrasadores

La medianoche en el desierto es muy, muy fría, y el mediodía es muy, muy caluroso. Los animales, como estas gacelas, deben refugiarse del sol.

Contra el calor... y el frío

Las ardillas del desierto usan su tupida cola para sobrevivir en este clima. De noche, la cola de la ardilla es como una manta lanosa. Pero durante el día, funciona como una auténtica sombrilla.

Vientos del desierto

Como en los desiertos hace tanto viento, casi todos poseen un viento con su propio nombre. Por ejemplo, el viento de Argelia se conoce como *Kamsín*, y en América del Norte como *Chubaseos*.

¡Ráfagas de arena!

A veces, los vientos del desierto levantan arena y polvo que se dispersan en tormentas y duran días. Esto dificulta la visibilidad y hace muy difícil respirar.

ráfagas – *soplidos repentinos de viento*

Esculturas de arena

Las ráfagas de arena y polvo desgastan muy
lentamente las rocas y, al cabo de miles de
años, van adquiriendo formas extrañas, como
estas rocas del desierto de Mojave.

Arenas suaves

El viento del desierto
pule los granos de
arena, haciéndolos lisos
y redondos.

Lluvia en el desierto

La lluvia en el desierto es muy escasa, por eso cuando llueve las plantas y los animales deben aprovecharla al máximo.

Clima tormentoso

Las tormentas traen a los desiertos rayos y truenos. En algunos llueve todos los años, pero en otros pueden pasar hasta diez años sin que caiga una sola gota.

escaso – *que no ocurre con frecuencia*

¡Rápido!

En cuanto llueve, las ranas desovan en los charcos. Sus renacuajos deben crecer deprisa y transformarse en adultos antes de que los charcos se sequen.

Flores hermosas

Las plantas del desierto florecen después de las lluvias y todo parece una alfombra de flores. Cuando las flores mueren, dejan semillas, que germinarán con las siguientes lluvias.

renacuajos – *ranas y sapos jóvenes*

16 Plantas espinosas

Las plantas del desierto son muy resistentes. Tienen la corteza más gruesa, hojas más pequeñas, y con más espinas que las de otros lugares. Esto evita que el calor las seque, y las protege de los predadores.

¡Suelta esa hoja!

Al secarse, los arbustos de creosota de América del Norte se desprenden de sus hojas. Cuando llueve, les vuelven a brotar.

Recolector de rocío de Namibia

Las hojas de la extraña welwitschia se inclinan hacia el suelo. La niebla y el rocío se adhieren a las hojas, formando gotitas de agua que corren hacia las raíces.

Muchas púas

El saguaro de Arizona no tiene hojas, pero almacena agua en su gran tallo que está protegido por una gruesa corteza y muchas espinas.

¡Al escondite!

El cactus piedra sólo deja asomar las puntas de sus dos gruesas hojas sobre la superficie del suelo. Esta planta se oculta del sol y de los vientos áridos hasta que llueve y puede florecer.

rocío – *gotas de agua que, de noche, se forman sobre las plantas*

Aviadores del desierto

El poder volar hace más fácil a las aves vivir en el desierto porque pueden desplazarse largas distancias en busca de alimentos y agua. Aun así, deben sobrevivir al clima extremo.

Ave de madriguera

El tecolote enano aprovecha el frescor del amanecer y el anochecer para cazar mamíferos, reptiles e insectos. Anida bajo tierra donde sus huevos están protegidos del intenso calor que podría fácilmente hacer que se cociesen dentro del cascarón.

anochecer – *hora en que el sol se pone*

Cirujanos de cactus

Los pájaros carpinteros hacen agujeros en los tallos podridos o rotos del saguaro. El ave anida en los frescos agujeros y picotea la parte enferma de la planta, evitando que la enfermedad se propague a todo el cactus.

Correcaminos

El correcaminos entra en calor después de la fría noche levantando las plumas del cuello y permitiendo que le dé el sol en un área de piel especial que absorbe el calor.

19

Pequeñas criaturas

Insectos, reptiles y roedores prosperan en el desierto porque no necesitan mucha agua. También se ocultan del calor, del viento o del frío en madrigueras.

Almacenes de miel

Las hormigas mieleras del desierto almacenan agua y néctar en sus barrigas. Esta provisión ayuda a que la colonia sobreviva cuando falta comida o agua.

Dormir de noche

Por la noche, los reptiles, como esta iguana, permanecen bajo tierra cobijándose del frío. Por la mañana, se ponen al sol para calentarse.

madrigueras – *agujeros o túneles bajo el suelo*

Baños de niebla

Estos escarabajos consiguen algo para beber aprovechando las gotitas de agua de niebla que quedan en sus patas.

Dormir de día

Los animales de sangre caliente, como este jerbo, buscan comida durante la noche, pero de día se ocultan bajo tierra en madrigueras para mantenerse frescos.

sangre caliente – *temperatura corporal siempre templada*

Grandes mamíferos

Los mamíferos grandes no pueden refugiarse del sol en madrigueras como sus parientes más pequeños; tienen otras formas de escapar del calor.

Cavar para enfriarse

Para refrescarse, los canguros remueven la capa de arena caliente de la superficie y se echan en la arena de las capas más frías.

mamíferos – animales de sangre caliente que alimentan a sus crías con leche

Código de color

El pelo claro de los zorros africanos ayuda a reflejar el calor y a mantenerlos frescos, como una camiseta blanca te mantiene fresco en el verano.

Camello refrescante

De noche, el cuerpo de los camellos se enfría. Así que, aunque el Sol los caliente todo el día, nunca se calientan demasiado.

Reflejar – *devolver o proyectar hacia otro lado*

Paraísos de agua

Los ríos que fluyen a través del desierto o que asoman por debajo del suelo pueden llevar agua a los desiertos todo el año. Esto ocurre en los oasis.

Verde y en crecimiento

Los oasis están llenos de vida. Los árboles altos, como las palmeras, y varios tipos de animales pueden vivir en los oasis porque hay agua de sobra.

Caminar hacia el agua

Los oasis son vitales para los habitantes del desierto —tanto hombres como animales. Viajan cientos de kilómetros en busca del agua del oasis, aunque tengan que sacarla del fondo de un profundo pozo.

pozo – *agujero profundo en el suelo con agua en el fondo*

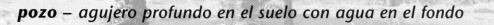

Habitantes del desierto

Durante miles de años ha habido personas viviendo en los desiertos y han aprendido todo lo necesario para sobrevivir en ellos.

Nómadas

Muchas personas del desierto son nómadas. Viven en tiendas y cambian de sitio en busca de agua y pastos para su ganado.

nómadas – personas que se mueven de un lugar a otro, trasladando su casa

Cargadoras

Las mujeres del desierto de Thar, en la India, cargan en la cabeza grandes ollas de agua desde pozos muy lejanos.

Desiertos crecientes

Los desiertos son lugares importantes y bellos. Pero se están expandiendo de manera antinatural por la influencia de algunas conductas humanas. Cada año, el desierto se traga praderas, tierras de cultivo y bosques.

Demasiado pastoreo

En los lugares en que las personas permiten que los animales se coman todas las plantas, el sol y el viento golpean el suelo desnudo, convirtiéndolo en polvo infértil.

expandir – hacer más grande

¡Gas dañino!

Los coches, los aviones y las fábricas emiten gases que calientan el clima. Esto es lo que se conoce como *calentamiento global*, y afecta sobre todo a los lugares en donde el clima ya es seco y cálido, porque los desiertos crecen.

emitir – *echar hacia fuera*

Desiertos verdes

Las personas pueden ayudar a evitar que los desiertos se expandan plantando árboles y plantas para proteger el suelo. La irrigación mantiene vivas a las plantas.

Almacenar lluvia

Conservar agua de lluvia en embalses sirve para regar los cultivos. Esta mujer cosecha alimentos en lo que fue un desierto.

irrigar – *regar grandes zonas, como campos enteros*

La magia del agua

Generalmente, el agua se escurre por la arena y se pierde. Si se ponen unos "copos" de plástico especiales al agua el suelo la retiene mejor.

Cada vez más verde

Cultivar plantas también refresca el suelo y el aire. Así la tierra permanece húmeda y el desierto no se expande.

húmedo – mojado

Ciudades del desierto

Hay ciudades en todos los desiertos del mundo. Pero las ciudades con millones de habitantes consumen mucha agua, lo que supone un gran problema para cualquier desierto.

Luces brillantes

El agua que se gasta en Las Vegas, en el desierto de Nevada, en EEUU, la sacan a cientos de kilómetros de distancia. Esta falta de agua amenaza a la flora y a la fauna.

desalar – *quitarle la sal a algo*

Verde, verde ciudad

En Abu Dhabi, en la costa de los Emiratos Árabes Unidos, desalan el agua de mar para poder usarla. Esto significa que hay suficiente agua para crear espacios verdes que mantienen fresca a la ciudad.

Formas de ahorrar agua

Kerzaz, una antigua ciudad del Sahara, necesita menos agua que una ciudad moderna. Sus habitantes cuidan el agua y saben que cada gota es muy valiosa.

Uso del **desierto**

Los desiertos parecen vacíos, pero poseen tesoros ocultos. Además proporcionan un espacio para hacer cosas que sería peligroso hacerlas en otro sitio.

Pruebas mortíferas

Las armas más mortíferas del mundo, las bombas nucleares, son sometidas a pruebas en desiertos donde no matan a nadie. Pero estas bombas dejan envenenado el suelo durante muchos años.

Energía oculta

El petróleo se extrae del subsuelo de algunos desiertos y se lleva a las ciudades y a otros países en enormes oleoductos como este.

Joyas subterráneas

El ópalo se formó hace millones de años cuando el agua se filtró por las rocas bajo tierra. El suelo del desierto australiano es de donde proviene casi todo el ópalo del mundo.

petróleo – *sustancia que se usa para hacer combustible y plásticos*

¡A divertirse!

El cielo azul y los bellos paisajes hacen del desierto un sitio ideal para el descanso, pero hay quienes prefieren más acción.

Esquí en arena

Es posible bajar por una duna de arena como si fuera una ladera nevada. ¡Hasta es posible "surfear" como si se tratara de una gran ola marina!

Carreras en el desierto

Los *buggies* pueden escalar empinadas dunas y correr en el desierto sin atascarse. Es muy divertido pero los neumáticos deterioran el suelo y dañan las plantas.

Escalada cómoda

Las formaciones rocosas de los desiertos son calientes y secas. Esto las hace más fáciles de escalar que las montañas donde el clima sea frío y húmedo.

formaciones – *conjuntos de rocas*

Historia en el desierto

Podemos conocer el pasado de los desiertos porque el aire seco y caliente mantiene los cuerpos intactos. La arena cubre los restos de personas, animales y plantas y, como resulta difícil encontrarlos, los restos permanecen inalterados durante mucho tiempo.

Momias de hace mucho tiempo

Los cuerpos enterrados en los desiertos se secan muy rápido, así que la piel, el pelo y la ropa duran miles de años. Los cuerpos conservados se llaman momias y nos muestran cómo eran y cómo vestían las personas de aquel tiempo.

Arte en la roca

Hace miles de años, las personas pintaron imágenes en las rocas en el desierto de Namibia. En ellas se ve que el desierto era entonces una animada pradera.

Dinosaurios del desierto

En los desiertos se han encontrado algunos fósiles de dinosaurios. Los vientos desgastan la roca y dejan al descubierto los fósiles.

fósiles – *restos de antiguos animales o plantas convertidos en roca*

Hielo y agua

No todos los desiertos son calurosos y polvorientos, ¡algunos ni siquiera son secos! La palabra *desierto* también puede usarse para describir lugares donde las condiciones son demasiado adversas para vivir.

Azul deshabitado

No puede existir vida en el mar sin fitoplancton. En lugares donde no hay plancton, el mar puede ser un desierto inundado y salado.

Desiertos helados

Algunas partes del Ártico reciben menos lluvia que el desierto del Sahara en África. Estas zonas son demasiado frías y secas como para que algo crezca. El oso polar sobrevive capturando peces en el mar.

fitoplancton – *diminutas plantas flotantes que hay en mares y océanos*

Camellos locos

Caravana de sal

La venta de sal es un importante ingreso de dinero para las personas del desierto. La sal es transportada en camellos.

Materiales

- Cartulina marrón
- Papel de calco
- Lápiz
- Tijeras
- Rotulador
- Envolturas de chocolate
- Pegamento
- Hilo dorado o plateado

plantilla de camello

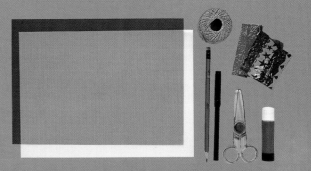

1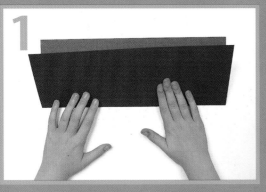

Dobla la cartulina por la mitad. Coloca el papel de calco sobre la plantilla del camello y calca la figura.

2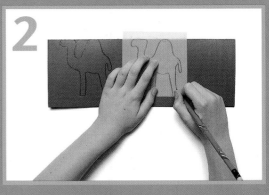

Pon la plantilla calcada encima de la cartulina con la joroba en el doblez. Traza el camello sobre el cartón para hacer tres figuras.

Con las tijeras, recorta cuidadosamente las tres figuras. Asegúrate de no recortar las jorobas por el doblez.

Sujeta firmemente al camello con una mano, usa el rotulador para dibujar los ojos y la boca de cada camello.

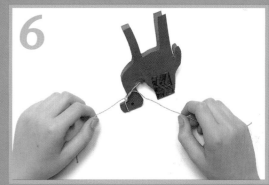

Alisa las envolturas de chocolate. Pégalas a la mitad del lomo del camello. Si las envolturas son muy largas, recórtalas.

Haz las bridas con el hilo y úsalo también para unir a los camellos ¡Ya están listos para llevar sal por el desierto!

Cactus 3-D

¡Corta y desliza!

El cactus saguaro puede alcanzar 10 metros de altura y tener cinco brazos. ¡Algunos viven hasta 200 años!

Materiales
- Lápiz
- Papel de calco
- Cartulina verde
- Tijeras

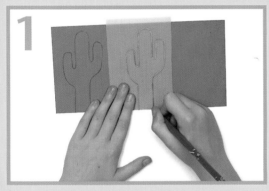

Calca la plantilla del cactus con el papel de calco. Usa la plantilla para trazar dos cactus en la cartulina.

Recorta los dos cactus. Siguiendo la plantilla, usa las tijeras para realizar un corte desde la parte superior de uno de los cactus.

*corte 1
(paso 2)*

*plantilla
del cactus*

*corte 2
(paso 3)*

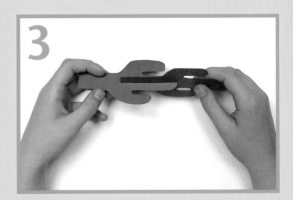

Haz un corte desde la parte de abajo del otro cactus. Introduce el primer cactus en el segundo. Decóralo con purpurina verde.

Palmeras

¡Dobla y moldea!

Estas son palmeras de los oasis del Sahara. Los habitantes del desierto se resguardan del sol en la sombra de las palmeras.

Materiales

- 2 tiras de cartulina marrón
- Pegamento
- Cartulina verde
- Cinta de doble cara
- Tapa de una caja
- Arena

Para hacer el tronco, pega la cartulina marrón haciendo una L. Ve plegando cada vez una de las tiras sobre la otra.

Para hacer las hojas, recorta la cartulina verde en cinco tiras curvas. Pliega cada tira como un acordeón y se abrirá de golpe.

Llena la tapa de una caja de zapatos con arena y coloca en ella los camellos, el cactus y la palmera para crear tu propio desierto.

Recorta un pedazo de cinta de doble cara y pégala en lo alto del tronco. Pega cada una de las hojas en la cinta y ¡ya tienes tu palmera!

Peonza aborigen

Símbolos ingeniosos

Los aborígenes del desierto de Australia pintaban símbolos en las rocas. Hoy, los artistas los usan para decorar objetos modernos.

Materiales

- Lápiz
- Una taza
- Un vaso
- Un plato
- Cartulina
- Tijeras
- Pintura
- Pincel
- Plastilina
- Compás
- Palillo chino

emú

hoguera

niño

1

Para hacer cinco discos, dibuja en la cartulina el contorno de la taza dos veces, el del vaso dos veces y el del plato una vez.

2

Recorta los discos y píntalos con pintura naranja o amarilla. Cada círculo puede ser de diferente color. Déjalos secar.

Siguiendo las muestras de la página 46, pinta un lado de cada disco con un símbolo aborigen diferente. Cuando se seque la pintura, pinta el mismo símbolo en el otro lado del disco.

Pon una bola de plastilina en el centro de cada disco. Usa la punta del compás para hacer un agujero justo en el centro de cada disco.

Cuando los cinco discos estén en el palillo, coloca la peonza verticalmente y hazla girar.

Para colocar los discos en el palillo, comienza con uno de los discos de la taza y el vaso, luego el disco del plato y los últimos dos de la taza y el vaso. Deja el mismo espacio entre los discos.

Índice